Shopkins™

Des courses de folie !

À LA RECHERCHE DE LAIPAILLE

Les logos, noms et personnages de
Shopkins™ sont des marques déposées
de Moose Enterprise (Int.) Pty Ltd.

PRESSES AVENTURE INC.
55, rue Jean-Talon Ouest
Montréal (Québec) H2R 2W8
CANADA
groupemodus.com

Histoire d'après l'épisode *Lost and Hound,* parties 1 à 4.
© Moose, 2013.

Président-directeur général : Marc G. Alain
Éditrice : Marie-Eve Labelle
Adjointe à l'édition : Vanessa Lessard
Rédactrice : Karine Blanchard
Designer graphique : Catherine Houle
Correctrice : Marise Breault

ISBN : 978-2-89751-369-6

Dépôt légal — Bibliothèque et Archives nationales du Québec, 2017
Dépôt légal — Bibliothèque et Archives Canada, 2017

Nous reconnaissons l'aide financière du gouvernement
du Québec par l'entremise du Programme de crédit d'impôt
pour l'édition de livres et du Programme d'aide aux
entreprises du livre et de l'édition spécialisée — SODEC

Financé par le gouvernement du Canada | Canadä

Imprimé en Chine

À LA RECHERCHE DE LAIPAILLE

PRESSES AVENTURE

CHAPITRE 1

Cooky, Glossy, Chocolette, Pommette et Glacette jouent à la balle avec Laipaille.

«Bien joué, Laipaille,
dit Pommette.

À qui le tour de lancer?»

«Moi! Moi!» disent
Chocolette et Cooky.

Glossy, elle, ne semble pas convaincue. Elle ne sait pas comment lancer la balle. Ses amies tentent de l'encourager.

« D'accord, dit-elle. Un lancer ne me fera pas de mal. »

Glossy s'élance, et la balle tombe juste à côté d'elle.

« J'avais tort d'essayer, dit Glossy. Je savais que j'en serais incapable. »

«Voyons, Glossy, dit
Chocolette. N'importe
qui peut lancer une balle.
Il suffit d'y mettre un peu
de volonté. Regarde ça.»

Chocolette prend son élan et lance la balle de toutes ses forces.

La balle file à toute allure
et vole loin, loin, loin,
par-dessus le muret du
parc, au-delà des arbres.

Sans hésiter, Laipaille fonce pour rattraper sa balle préférée.

Pommette n'a pas le temps de la retenir.

« Laipaille, attends ! » s'écrie-t-elle.

Les amies sont inquiètes.
Mais où est passée
Laipaille?

Elles partent à sa
recherche aussitôt.

«Elle est partie par là!»
dit l'une.

«Non, elle est de ce
côté!» dit l'autre.

«Allons-y!» disent-elles
enfin.

Glacette est soudain préoccupée.

« Sais-tu au moins où l'on s'en va ? » demande-t-elle à Pommette.

« Y a pas de souci, dit
Pommette. Chocolette
a un très bon sens de
l'orientation. Elle nous
ramènera à la maison. »

Glossy a la même
crainte :

« Est-ce que tu sais où
tu t'en vas, Chocolette ? »

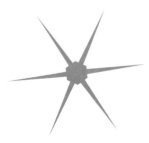

« Ne t'inquiète pas, dit Chocolette. Pommette connaît cet endroit comme le fond de sa poche. Elle nous ramènera à la maison. »

Oh, non ! Ni Pommette
ni Chocolette ne semblent
connaître le chemin !

Les amies comprennent
alors qu'elles sont dans
le pétrin.

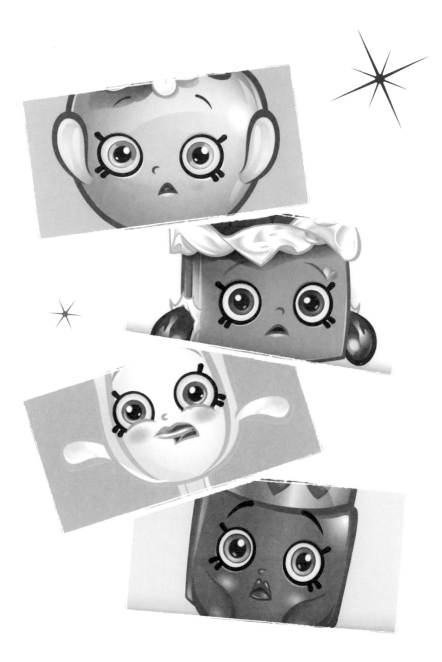

21

CHAPITRE 2

La nuit est tombée, et
les amies sont perdues.
Glossy est découragée.

«Je ne crois pas pouvoir continuer, dit-elle. En plus, j'ai oublié mon rouge à lèvres de soirée!»

Chocolette soupire. «Détends-toi, Glossy, dit-elle. Ce gîte nous gardera à l'abri des intempéries.»

Mais Glossy ne l'écoute
pas. Coquette comme
elle est, elle préférerait
être à l'hôtel plutôt que
dans une cabane dans
les bois.

De leur côté, Pommette
et Glacette ne se laissent
pas abattre. Elles veulent
à tout prix retrouver
Laipaille.

Elles l'appellent, crient
son nom, la cherchent
au pied des arbres,
entre les branches,
sous les tas de feuilles,

quand, tout à coup…
elles voient quelque
chose remuer dans
les buissons.

Prises de panique, les deux amies reculent.

« Qu'est-ce qui se cache là-dedans?» dit Glacette, terrifiée.

Pommette se ressaisit.
Et si c'était Laipaille?
Pleine d'espoir, elle
s'avance vers le buisson.

«Qui est là? demande-
t-elle. Laipaille, c'est toi?»

À leur grande surprise,
c'est plutôt Baguetta
qui bondit devant elles.

«Baguetta? dit Pommette.
Mais qu'est-ce que
tu fais là?»

« Mes chéries ! Je fais
mon jogging dans le
parc, mais, hélas !
je crois que je tourne
en rond depuis un
certain temps. »

« C'est vrai ? Laipaille
a disparu. Et, en partant
à sa recherche, on s'est
perdues, nous aussi. »

« Sacrebleu ! s'exclame Baguetta. C'est terrible ! Je suis désolé, mes chéries. Mais, n'ayez crainte, cette forêt est surprenante ! On n'y est jamais en difficulté bien longtemps. »

Sans un mot de plus,
Baguetta disparaît
dans la forêt.

Tout à coup, Glacette
aperçoit une trace sur le
sol. Elle croit reconnaître
l'empreinte de Laipaille.

« Regarde ça, Pommette !
dit-elle. Nous sommes
sur la bonne voie. »

«On devrait peut-être l'attendre ici, au cas où elle reviendrait», dit Glacette.

«Tu as raison, dit Pommette. On pourra reprendre nos recherches demain matin, quand il fera plus clair.

Pour le moment, reposons-nous un peu. »

Mais Glacette est bien trop effrayée pour fermer l'œil.

Dans cette forêt, il y a
des bruits étranges, des
buissons qui remuent…

Pommette tente de
la rassurer.

Toutefois, quand elle observe de plus près la trace de patte sur le sol, c'est à son tour d'être affolée.

« Glacette, tu as bien regardé cette empreinte ? » dit-elle.

« Oui, pourquoi ? » répond Glacette.

« Parce que ce n'est pas une trace de patte de chien, ça ! » s'écrie Pommette.

Au même moment,
un épouvantable
grognement fait
trembler la terre.

«Au secours!» hurlent
les deux amies.

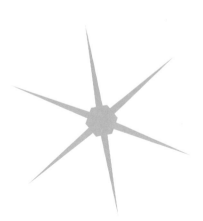

43

CHAPITRE 3

« Pourquoi criez-vous ? »
demande la petite
créature sortie
des buissons.

«On croyait que tu étais une créature effrayante», dit Glacette.

«Mais je ne suis pas une créature effrayante. Je suis Feuilline.»

Glossy, alertée par les cris, vient voir ce qui se passe. Comme elle n'a pas entendu les présentations, elle sursaute en voyant la nouvelle venue.

Saisie, Feuilline hurle
à son tour.

« Pourquoi tout le monde
crie ? » demande
Chocolette.

«Il y a toutes sortes de choses tapies dans les buissons, dans cette forêt. Partons d'ici», déclare Glossy.

Comme pour lui donner raison, les buissons remuent de plus belle.

Cette fois, tout le monde craint le pire, mais il n'y a

aucune raison d'avoir peur. Ce n'est que Cooky, la coquine. Décidément, cette forêt cache son lot de surprises !

Maintenant que tout
le monde est rassuré,
Feuilline peut enfin se
présenter comme il faut.

«Je suis la
gardienne du
parc, dit-elle.
J'ai cru com-
prendre que vous êtes
perdues, c'est vrai?»

« Oui, en effet, répond
Pommette.

« En partant à la recherche
de notre amie,
on s'est égarées »,
ajoute Glossy.

« Je comprends, dit Feuilline. Et je peux certainement vous aider à la retrouver. »

« Merci, dit Pommette. Mais il faut d'abord sortir d'ici. »

«Oui, et ça va nous prendre un temps fou pour sortir de cette forêt!» se plaint Glacette.

Feuilline, toujours pleine de ressources, a une idée pour venir en aide à ses nouvelles amies.

« J'ai ici quelque chose qui pourrait nous faire gagner du temps ! » dit-elle.

CHAPITRE 4

Feuilline prend la route avec ses amies à bord de son véhicule tout-terrain.

Elle les amène en ville, là où elles pourront poursuivre leurs recherches.

Premier arrêt : la papeterie.

Elles font imprimer des affiches avec la photo de Laipaille qu'elles pourront installer dans tous les recoins de la ville.

Soudain, Feuilline reçoit
un appel important.
Elle doit y répondre.

On lui signale la présence
d'un animal égaré dans
le parc.

« Bien reçu ! » dit-elle.

« Je ferais mieux d'aller voir ce qui se passe, dit-elle à ses amies. Ça pourrait être votre chien qui a été vu dans le parc. »

Avant de partir, elle leur remet une carte de la ville.

« Tenez. Ça facilitera vos recherches pendant mon absence. »

« Commençons nos recherches à la bijouterie »,
dit Glacette.

« Bonne idée ! » dit
Glossy, qui, tout à coup,
ne pense plus du tout
à Laipaille.

CHAPITRE 5

Pendant ce temps, non loin de là, une balle rouge flotte tranquillement sur la rivière.

Laipaille, qui ne se doute
pas que sa maîtresse
et ses amies la cherchent
partout, est toujours
déterminée à attraper
la balle.

Elle donne un coup de
patte dans la rivière, mais
manque la balle de peu.

Celle-ci bondit hors
de l'eau et poursuit
sa course dans la ville.
Laipaille n'abandonne
pas pour autant.

Malheureusement, la balle tombe alors dans les égouts.

En s'approchant pour la récupérer, Laipaille aperçoit quelque chose de bien intéressant.

Où cette découverte va-t-elle la mener?

CHAPITRE 6

À peine quelques minutes plus tard, Chocolette passe par là et aperçoit des petites traces de pattes sur le sol.

«Elle ne doit pas être bien loin», pense Chocolette.

Entre-temps, Pommette installe quelques affiches ici et là. Elle propose ensuite d'aller en poser dans la bijouterie.

Les amies parcourent la boutique au cas où Laipaille s'y cacherait. Glossy ne cherche pas avec elles. Elle admire les bijoux.

Glacette, elle, est distraite.
Son téléphone sonne sans
arrêt et elle ne semble
pas s'en rendre compte.

Chocolette s'impatiente.

« Tu vas répondre,
oui ou non ? » dit-elle
à son amie.

C'est Grillette qui appelle.
Elle se demande où est
passé tout le monde.

Glacette lui explique qu'elles sont toutes parties à la recherche de Laipaille.

Pendant ce temps, Glossy s'en donne à cœur joie dans les présentoirs.

Elle finit par être couverte de bijoux. Tellement qu'elle a de la difficulté à se déplacer!

Alors que Glossy trébuche sous le poids des bijoux, Chocolette aperçoit une machine spéciale dans un coin de la boutique.

« C'est une machine à charmes ! » s'exclame Pommette.

« Super ! dit Chocolette. J'aimerais bien être plus charmante. »

« Mais non, réplique Pommette, pas ce charme-là. Un charme comme un enchantement, un sortilège. »

« Oh ! » s'exclament les autres.

« Essayons-la ! » s'écrie Chocolette.

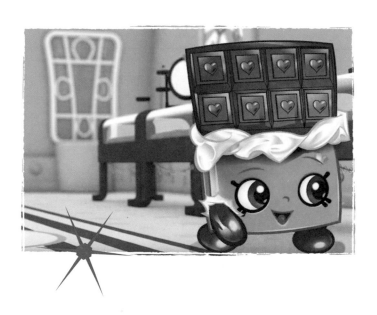

À cet instant précis,
une lumière blanche
et aveuglante jaillit de
la machine. Les amies
sont terrifiées.

Que va-t-il leur arriver?

CHAPITRE 7

La machine à charmes
s'arrête et, au lieu d'être
plus charmantes, les
amies sont nettement
plus petites qu'avant.

Catastrophe! La machine les a rapetissées. De son côté, Glacette n'a pas conscience de ce qui vient de se passer et elle raconte leur mésaventure à Grillette, qui est restée au supermarché.

« Grillette ? Je t'entends mal, dit-elle soudain. La réception est tellement mauvaise ici ! »

«C'est frustrant quand quelqu'un ne nous entend pas», ajoute-t-elle. Justement, ses quatre amies miniatures appellent à l'aide, mais elle ne les voit même pas.

Elles crient à tue-tête et l'appellent à pleine voix, mais, rien à faire, Glacette ne les entend pas.

Tout à coup, Glacette
se retourne. Victoire !
Les amies croient être
enfin entendues.

Mais pas du tout!

Glacette s'est retournée

pour regarder une

couronne étincelante,

laissant Grillette en

attente sur la ligne.

Sans hésiter, elle se coiffe du magnifique bijou, puis sort de la boutique pour reprendre sa conversation téléphonique.

« Bon, qu'est-ce qu'on fait maintenant ? » demande Glossy.

Pommette consulte la carte que Feuilline lui a donnée.

« Les filles, le Centre technologique est tout près d'ici, dit Pommette.

Il y a sans doute quelqu'un là-bas qui pourra nous aider et nous rendre notre taille normale. »

Enchantées d'avoir enfin un plan, elles sortent de la bijouterie et se dirigent vers le Centre.

En entrant dans l'immeuble, elles ne se doutent pas que Laipaille est juste là, derrière elles.

Laipaille, tout occupée
à suivre la piste qui
l'intéresse, ne les voit
pas non plus !

Sitôt entrées, les amies
aperçoivent Manetto,
la reine de la techno.
Elle pourra certainement
les aider.

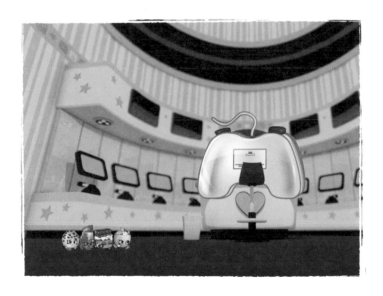

Les quatre amies oublient
qu'elles sont minis.
Encore une fois, elles
appellent et crient,
toujours sans succès.
Pire encore, Manetto
se lève et s'en va.

Le découragement
gagne les Shopkins.
Mais Pommette refuse
de baisser les bras.
Quand on réfléchit
bien, on trouve toujours
une solution !

« Elle n'a peut-être pas besoin de nous entendre, dit-elle. Suivez-moi !

Si on peut atteindre son clavier, on pourra lui laisser un message. »

Les amies s'entraident et grimpent sur la chaise, puis sur le bureau de Manetto.

Elles bondissent sur les touches du clavier pour lui laisser un message à l'écran.

Elles écrivent :

« À l'aide ! »

Manetto revient et lit

le message.

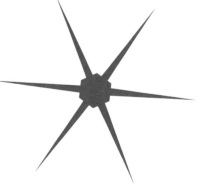

«Qui a écrit ça?»

se demande-t-elle.

Au même moment, elle
aperçoit quatre petites
créatures qui agitent
les bras devant elle.

« Ah ! Salut, les amies.
Vous semblez avoir
besoin d'un coup
de main. »

Manetto n'est pas
surnommée la reine
de la techno pour rien.

Son labo est bien équipé.
Elle a exactement ce qu'il
faut pour permettre aux
minis de retrouver leur
taille normale.

Manetto met sa machine spéciale en marche.

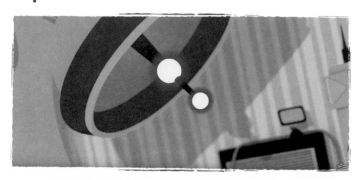

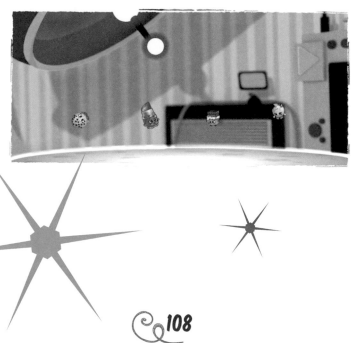

Hourra! Ça a fonctionné!
Grâce à Manetto, les
Shopkins ont repris leur
taille normale. Elles pourront enfin repartir à la
recherche de Laipaille.
Quelle histoire!

CHAPITRE 8

Quand elles pensent à
leur mésaventure, les
amies n'en reviennent pas.

Elles rigolent un bon coup. Pommette relève la tête et elle a peine à croire ce qu'elle voit : Laipaille est juste devant la porte !

Les amies s'élancent
toutes à sa poursuite.

Pommette prend
les devants.

Mais elle ne se doute pas de ce qui l'attend au coin de la rue. Attention, Pommette !

Attention, Rollie !

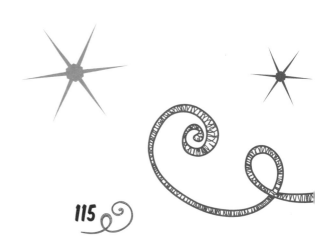

CHAPITRE 9

Juste à temps, Feuilline agrippe Pommette et la fait monter dans son véhicule.

Rollie bascule dans
les buissons, mais elle
n'est pas blessée.

Les autres Shopkins, qui
sont encore devant la porte
du Centre technologique,
sont témoins de la scène.

« Qu'est-ce qu'on fait maintenant ? » demande Glossy.

Manetto leur propose de chercher Laipaille par satellite.

Son système est puissant.
Il leur permettra de
localiser le petit chien
en moins de deux.

Elle retourne à son poste
et se met à l'œuvre.

Pendant ce temps, Glacette est toujours au téléphone. Elle ne voit pas Laipaille.

Elle s'avance sur le trottoir et le soleil reflète sur sa couronne.

C'est un désastre ! Le reflet désactive le satellite. Manetto ne peut plus rien faire.

Les amies sont tristes.
«Allons annoncer la
nouvelle à Pommette»,
dit Chocolette.

Pommette est dévastée.

Rollie lui demande

ce qui ne va pas.

« Je cherche Laipaille.
Elle a disparu, et je crois
que je ne la retrouverai
jamais ! »

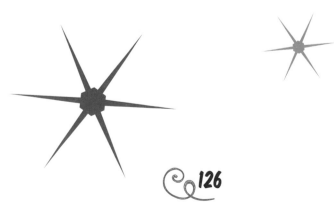

« Elle me manque terriblement. J'aimais lui gratter l'arrière des oreilles et jouer à la balle avec elle », raconte Pommette.

«Jouer à la balle?
demande Rollie.

Moi, si j'étais un chien
qui adore jouer à la balle
et que j'avais perdu
la mienne, je sais
où j'irais. »

CHAPITRE 10

Rollie a une excellente idée. Elle croit que Laipaille, qui adore les balles, s'est rendue au magasin de sports.

Pommette et ses amies
s'y précipitent aussitôt.

En entrant dans le magasin, Pommette aperçoit son amie, le museau dans les balles.

«Laipaille ! s'écrie

Pommette. Te voilà !»

Toutes les amies sautent

de joie.

«On se refait une petite partie pour célébrer?» demande Chocolette.

« Oh, non ! Je crois
que c'est assez pour
aujourd'hui ! » s'exclame
Pommette.